EL HOMBRECITO VESTIDO DE GRIS

Y OTROS CUENTOS

Para Cita

FERNANDO ALONSO

El hombrecito
vestido de gris
y otros cuentos

Ilustrado por ULISES WENSELL

kalandraka

Índice

EL HOMBRECITO VESTIDO DE GRIS

Había una vez un hombre
que siempre iba vestido de gris.
Tenía un traje gris,
tenía un sombrero gris,
tenía una corbata gris y un bigotito gris.
El hombrecito vestido de gris
hacía cada día las mismas cosas.
Se levantaba al son del despertador.
Al son de la radio,
hacía un poco de gimnasia.
Tomaba una ducha,
que siempre estaba bastante fría;
tomaba el desayuno,
que siempre estaba bastante caliente;
tomaba el autobús,
que siempre estaba bastante lleno;
y leía el periódico,
que siempre decía las mismas cosas.
Y todos los días, a la misma hora,
se sentaba a su mesa de la oficina.
A la misma hora.
Ni un minuto más, ni un minuto menos.

Todos los días, igual.
El despertador tenía cada mañana
el mismo zumbido.
Y esto le anunciaba que el día que amanecía
era exactamente igual que el anterior.
Por eso, nuestro hombrecito del traje gris,
tenía también la mirada
de color gris.

Pero nuestro hombre era gris solo por fuera.
Hacia dentro…
¡un verdadero arco iris!
El hombrecito soñaba
con ser cantante de ópera.
Famoso.
Entonces, llevaría trajes
de color rojo, azul, amarillo…
trajes brillantes y luminosos.
Cuando pensaba aquellas cosas,
el hombrecito se emocionaba.
Se le hinchaba el pecho de notas musicales,
parecía que le iba a estallar.

Tenía que correr a la terraza y…
—¡Laaa-lala la la la laaa…!
El canto que llenaba sus pulmones
volaba hasta las nubes.
Pero nadie comprendía a nuestro hombre.
Nadie apreciaba su arte.
Los vecinos que regaban las plantas,
como sin darse cuenta,
le echaban una rociada con la regadera.
Y el hombrecito vestido de gris
entraba en su casa, calado hasta los huesos.

Algún tiempo después,
las cosas se complicaron más.
Fue una mañana de primavera.
Las flores despertaban en los rosales.
Las golondrinas tejían en el aire
maravillosas telas invisibles.
Por las ventanas abiertas se colaba
un olor a jardín recién regado.
De pronto, el hombrecito
vestido de gris comenzó a cantar:

–¡Granaaaadaa…!
¡En la oficina!
Se produjo un silencio terrible.
Las máquinas de escribir enmudecieron.
Y don Perfecto, el jefe de planta,
lo llamó a su despacho
con gesto amenazador.
Y, después de gritarle de todo,
terminó diciendo:
–¡Ya lo sabe! Si vuelve a repetirse,
lo echaré a la calle.

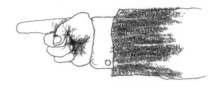

Días más tarde, en una cafetería,
sucedió otro tanto.
El dueño, con cara de malas pulgas,
le señaló un letrero que decía:

SE PROHIBE
CANTAR Y BAILAR

Y lo echó amenazándole
con llamar a un guardia.

Nuestro hombre pensó y pensó.
¡No podía perder su empleo!
Tampoco quería andar por el mundo
expuesto a que lo echaran de todas partes.
Y, al fin, se le ocurrió una brillante idea.
Al día siguiente, fingió tener
un fuerte dolor de muelas.
Se sujetó la mandíbula con un pañuelo
y fue a su trabajo.
Así no podría cantar.
¡Aunque quisiera!
Y día tras día, año tras año,
estuvo nuestro hombrecito,
con su pañuelo atado,
fingiendo un eterno dolor de muelas.

La historia termina así. Así de mal. Así de triste. La vida pone, a veces, finales tristes a las historias. Pero a muchas personas no les gusta leer finales tristes; para ellos hemos inventado un final feliz...

Pero nuestro hombrecito
merecía que le dieran una oportunidad.
Así que…
Cierto día,
conoció a un director de orquesta.
Y este quiso oírle cantar.
El hombrecito, muy contento,
pero con un poco de miedo,
salió al campo con el director de orquesta.
Y allí, rodeados de flores y de pájaros,
nuestro hombrecito se quitó el pañuelo
y cantó mejor que nunca.
El director de orquesta
estaba tan entusiasmado
que lo contrató para inaugurar
la temporada del Teatro de la Ópera.
Y la noche de su presentación,
que se anunció en todos los periódicos,
don Perfecto, el jefe de planta,
los vecinos que le habían regado,
el dueño de la cafetería
y todos los que le habían perseguido
con sus risas hicieron cola
y compraron entradas para oírle cantar.
Y asistieron al triunfo del hombrecito.

Y el hombrecito quemó todos sus trajes
y corbatas de color gris.
Tiró por la ventana el despertador.
Se afeitó el bigotito de color gris
y nunca, nunca más,
volvió a tener la mirada de color gris.

¿FIN?

EL BARCO DE PLOMO

Había una vez un hombre
que sabía hacer muchas cosas con sus manos.
Hacía figuras de papel...
Hacía muñecas de trapo...
Hacía muñecos de madera...
Y aquellos trabajos
eran lo más importante de toda su vida.
Un día, encontró un pedazo de plomo
y pensó en todas las cosas
que podía hacer con él.
Por fin, después de trabajar el metal
con mucho cuidado,
hizo un maravilloso barquito de plomo.
Y, cuando el maravilloso barquito de plomo
estuvo terminado, se lo entregó a su hijo.

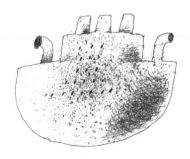

El niño, muy contento,
corrió a ponerlo en la bañera.
Pero… el barco de plomo
hizo «glub, glub, glub», y se hundió.
El niño se marchó, muy enfadado,
dando patadas a todos los juguetes
que encontraba a su paso.
Y el barco se quedó
en el fondo de la bañera.
Soñaba con todas las cosas
que conocen los barcos: mares azules,
con playas llenas de palmeras…
Vientos que huelen a algas y a sal…
Aires empapados del chillido de las gaviotas
y olas que se deshacen
en mil puntos de luz y de espuma
al chocar contra la costa.
Y el barco, muy triste, pensaba:
«Quisiera ser un barco de madera.
Navegar en los estanques,
en el río, en el mar…
Así, los niños podrían jugar conmigo».
Y las burbujas de aire
que subían del fondo de la bañera
tenían forma de lágrimas.

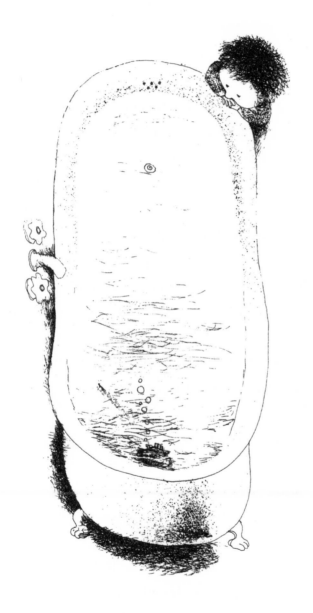

Entonces, llegó el hombre que sabía hacer
muchas cosas con sus manos y dijo:
—Este barco solo es de adorno.
No puede flotar.
Y lo puso encima de una mesa.
El barquito de plomo se sintió feliz.
¡Servía para algo!
Y servir para algo es importante.
Pero, pasado aquel primer momento
de alegría, volvió a pensar. Y pensaba:
«Un barco no es un adorno. Está hecho
para el agua. Un barco no es un florero».
Y comenzó a sentir vergüenza.
La gente iba a mirarle como a un vago.
Y, cuando estaba sumido
en estos pensamientos,
sintió que algo lo empujaba.
Era un coche de juguete.

El niño reía con aquel juego
que había inventado y gritaba:
—¡Pasen y vean lo nunca visto!
¡La lucha del coche contra el barco!
El barco estaba absorto en el juego y ya no pensaba.
El coche empujaba, empujaba…
Y, cuando el niño quiso darse cuenta,
barco y coche habían caído de la mesa.

En el suelo, el barquito de plomo mostraba
un enorme boquete. Y, por aquel boquete,
se escapó un suspiro que parecía decir:
«Ya no sirvo ni para adorno…».
Todos miraron con tristeza al barco.
De pronto, los ojos del niño
se iluminaron en una sonrisa y gritó:
—¡Es un barco naufragado!
¡El barco naufragado más hermoso del mundo!
Cogió el barquito con cuidado
y lo puso en el acuario.

El barquito se hundió rápidamente
y los peces huyeron asustados.
Y, cuando la arena del fondo
dejó de estar revuelta,
se acercaron a curiosear.
Y tocaban el barco
con sus morros puntiagudos,
con sus morros chatos, bigotudos…

Y, con los movimientos suaves
de sus aletas, de sus agallas,
se decían unos a otros:
–Mirad, es el barco naufragado
más hermoso del mundo.
Y el barquito de plomo era feliz.
Rodeado de agua, rodeado de peces.
Y, en medio de aquel mar de juguete,
pensaba:
«Este es el sitio ideal para un barco de plomo».
Y las burbujas de aire,
que salían por el boquete del casco,
tenían forma de sonrisa.

LOS ÁRBOLES DE PIEDRA

Había una vez un curioso mundo,
un mundo curioso y extraño.
Sus campos eran de piedra.
De piedra, sus flores.
De piedra, sus ríos.
Con cañas de piedra,
hombres de piedra
pescaban peces de piedra.
Aquellos hombres
tenían brazos de piedra, cuerpo de piedra,
cabeza de piedra y corazón de piedra.
«Corazón de piedra» no tenía, allí,
ningún significado especial;
porque sus corazones estaban llenos
de hermosos sentimientos.
Con ellos amaban a todos
los seres de piedra,
que vivían en aquel extraño mundo de piedra.
Sí. Era este, sin duda,
el mundo más curioso y extraño
que se haya conocido.
La vida discurría tranquila, feliz.

Hasta que, cierto día…
Empezaron los problemas.
Por todas las calles, por todas las plazas,
solo se oía una voz:
–Los niños están tristes.
Después de muchos comentarios,
después de muchas discusiones,
preguntaron a los niños. Y los niños dijeron:
–Queremos árboles. En nuestro parque.
Entonces, en medio de la reunión,
se levantaron tres voces:
–Yo los traeré.
–Y yo.
–Yo también.
Y los tres jóvenes más aventureros
se pusieron en camino.
Iban en busca de aquellos árboles
que tanto necesitaban los niños
para ser felices.

Al cabo de un mes volvió el primero.
Traía sobre los hombros un pino.
Caminaba doblado por el peso.

Y, con grandes ceremonias,
lo pusieron en el parque.
Pero, al poco tiempo, el pino,
plantado sobre piedras, murió.

Dos meses más tarde volvió el segundo.
Traía sobre los hombros un cactus.
Y plantaron el cactus con el mismo
ceremonial, con la misma alegría.
Pero el cactus tampoco pudo vivir
en aquel suelo de piedra.

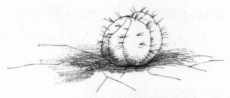

Tres meses después, regresó el tercero.
Caminaba deprisa,
porque no traía ningún peso
sobre sus hombros.
Y, cuando todos estuvieron
a su alrededor, les dijo:
—He encontrado árboles de piedra.
Pero no he podido cortarlos.
¡Se necesita la ayuda de todos!

Y allá se fueron
con el tercer joven aventurero.
Se necesitaba la ayuda de todos;
por eso iban todos:
la piedra de los caminos, hecha a tragar polvo;
la piedra que trabajaba en el molino;
la que había nacido para estatua
y la que estaba hecha para lucir un anillo.
Y cruzaron ríos, campos de flores
y mariposas; montañas verdes
cubiertas de árboles que no podían vivir
en su mundo de piedra.
Y siguieron adelante y llegaron al mar.
Y, cuando estuvieron sobre las rocas
que formaban la orilla,
todas las piedras se unieron:
la piedra del camino,
el canto rodado de los ríos,
la piedra del molino, la que había nacido
para estatua y la que estaba hecha
para brillar en una sortija. Se engarzaron.
De la mano. Y comenzaron a descender.
Al cabo de algún tiempo,
llegaron a los bosques de coral.

Y, con la ayuda de los peces martillo
y los peces sierra,
cortaron unos árboles de coral,
aquellos árboles hechos a la medida
de su mundo de piedra.

Y, en medio de una gran fiesta,
en medio de bailes y canciones,
los llevaron al parque.

Todos sonreían porque, juntos,
habían hecho un buen trabajo
y esto les daba un poco más de fuerza
y de seguridad.

Y las risas de los niños,
contentos porque a su parque
ya no le faltaba nada,
les unieron mucho más
de lo que ya lo estaban.

El viejo reloj

Cuando faltó el abuelo,
toda la casa se murió un poco.
Ya nadie volvió a contar viejas historias.
Ya nadie volvió a sacar humo
de la vieja pipa de enebro.
Ya nadie volvió a dar cuerda
al viejo reloj del pasillo.
La sala se quedó a oscuras
de historias hermosas;
el color lustroso de la pipa
se volvió apagado y triste;
al viejo reloj le nacieron telarañas
por dentro y, poco a poco,
se le fueron cayendo los números;
igual que al abuelo, los dientes.
Y, cuando la esfera quedó vacía de números
y sus tripas llenas de polvo y de telarañas,
el viejo reloj del pasillo fue a parar
a un rincón oscuro del desván.

Ramón tenía el pelo tieso,
como alambre,
y cara de estar siempre
buscando alguna cosa.
Un día, Ramón subió al desván.
Buscaba un sombrero viejo
para jugar a los piratas.
Ramón no había conocido al abuelo
y era la primera vez que veía el reloj.
Al niño le gustaba mucho arreglar cosas;
por eso, apretó los tornillos,
remachó bien los clavos,
sujetó la puerta y,
a fuerza de frotar y frotar,
dejó el reloj reluciente como un sol.
Entonces, Ramón se dio cuenta
de que el viejo reloj no tenía números.
Se sentó en un arcón
y estuvo un rato pensando.
De pronto, su cara se llenó de sonrisa:
¡Sabía dónde podían estar los números!
Aquellos números cansados
de una vida aburrida y apolillada
dentro de la esfera del reloj.

Con una espada de madera al cinto
y un bocadillo de pan con chocolate
en la mano, Ramón salió de casa.
Iba a buscar los números del reloj del abuelo.

Después de mucho caminar,
encontró al número 1.
Trabajaba de arpón con un viejo pescador.
Y el número era feliz en su nuevo trabajo.
Ramón dejó al número y siguió su camino.
El viejo pescador no tenía otro arpón
para ganar su pan.

El 2 trabajaba de pato
en una caseta de feria.
Frente a la caseta de tiro al blanco,
se apiñaba un grupo de niños.
Entonces apareció la hilera de patos;
en el centro iba el 2,
tieso y orgulloso de su nuevo trabajo.

Ramón comprendió que aquel número
ya nunca podría vivir, quieto,
en la esfera de un reloj.
Mientras se alejaba, el ruido de la feria
le acompañó un trecho de camino.

En número 3 estaba en un museo.
Hacía de gaviota dentro de un cuadro
que representaba la playa y el mar.
Era una obra muy valiosa y no podía
destrozarla llevándose aquel número.
Ramón dio una vuelta por el museo,
vio todos los cuadros y salió silbando.

El número 4 jugaba a la pata coja
en lo alto de un campanario.
Hacía de patas de cigüeña;
de una cigüeña que había perdido las suyas
en una mala caída cuando aprendía a volar.
Ramón la saludó con la mano
y siguió su camino.

El 5 trabajaba en una señal de tráfico.
La señal indicaba: «Prohibido circular
a más de 50 kilómetros por hora».
Si se llevaba el 5, la señal indicaría:
«Prohibido circular a más de 0 kilómetros
por hora» y ningún coche
podría pasar ya por aquella carretera.

El 6 trabajaba de casa para un caracol.
Aquel número era ahora muy útil;
sobre todo en los días de lluvia y de frío.

El número 7 trabajaba de siete en el traje
de un payaso. El payaso siempre se caía,
el siete siempre se descosía
y los niños siempre se reían.
Ramón también se rio cuando el siete
le hizo guiños desde el traje de payaso.
Y todavía se reía al recordarlo,
mientras se alejaba del circo.

El 8 hacía de nube.
Nube oscura, sobre un pequeño pueblo;
sobre unas tierras pequeñas,
que necesitaban de aquella lluvia
para poder florecer;
para poder dar de comer a las gentes
que vivían en aquel pueblo pequeño.

El 9 trabajaba de lazo en otro circo.
Un vaquero, de enormes bigotes
y sombrero de ala ancha,
hacía girar aquel lazo sobre su cabeza.
Y Ramón aplaudió al hombre de los bigotes,
que ganaba su pan trabajando con el 9.

El número 10 era el aro de un niño.
El niño corría y corría por el parque
y guiaba con el 1 para que el 0
no se escapara.
Y el niño era feliz.

Encontró al 11
en un campo de deportes.
Pintados de rayas rojas y blancas,
los dos unos sostenían un listón.
Y una fila de atletas
esperaba su turno para saltar.
—¡Bravo! —gritó Ramón—.
¡Un salto estupendo!

El 12 trabajaba en un mercado persa
con un encantador de serpientes.
El 1 era la flauta y el 2, la serpiente.
Y tocando la flauta y bailando la serpiente,
el encantador ganaba para vivir.

Ramón volvió a casa
con su espada de madera al hombro.
Todos los números habían crecido,
se habían transformado para adaptarse
a su nueva vida.

Una vida más hermosa,
más divertida o igualmente aburrida,
que la que llevaron dentro de la esfera del reloj.
Pero, esta vez, era una vida que ellos
habían escogido libremente.
A Ramón no le importaba su fracaso;
porque ya sabía lo que tenía que hacer.

Al regresar a su casa,
cogió la caja de los colores y subió al desván.
Y allí pintó los números
en la esfera del reloj;
unos números brillantes,
de todos los colores…
y alguna que otra flor, salpicada por la caja.
Y, cuando el último número
y la última flor estuvieron pintados,
el reloj dejó oír su tictac monótono y alegre.

Y, a partir de aquel momento,
en la habitación de Ramón
siempre se oyó el tictac, alegre y monótono,
del viejo reloj del abuelo.

EL BARCO EN LA BOTELLA

Había una vez un barco
que vivía dentro de una botella.
Aquel barco era feliz,
porque creía que en aquella botella
estaba encerrado todo el mundo.

Hicieron el barco
con maderas duras y olorosas
y lo pintaron de colores
alegres y brillantes.
Con los palos y las velas plegados,
como un paraguas,
lo metieron en la botella.
Tiraron de los hilos
y todas las velas se izaron airosas.
El barco se encontró en medio
de un paisaje maravilloso.
Abajo, las olas encrespadas
de un mar de papel.
A un lado, toda una hilera de casas.
Escalonadas.

Paredes blancas y tejados rojos.
Blusas marineras de color azul,
comido por el salitre.
Redes tendidas a secar a la puerta de las casas,
en la acera mínima, en el muelle.
Un muelle de piedras iguales,
redondeadas por los bordes,
con un leve toque de verdín.
Y el barco en el centro,
protagonista de la escena.
El barco tenía razón para pensar
que todo el mundo estaba encerrado
en aquella botella.

El barco era hermoso y una hermosa escena
estaba representada en el interior de la botella.
Por eso, el dueño del barco en la botella
se encariñó con él.
Y terminó por hacerse coleccionista
de barcos en botella.
Recorrió tiendas y almacenes,
mercados y mercadillos.
Y compró todos los barcos
que pudo encontrar.
Y, cuando todos estuvieron colocados
en una estantería,
nuestro barco se dio cuenta
de que no todo el mundo se reducía
al interior de su botella.
Había otros mundos, muchos,
encerrados en otras muchas botellas.
Y esto lo llenó de preocupación.

Más tarde, descubrió
que todo aquel mundo era artificial:
olas de papel,
casas de corcho,
nubes de algodón…

Y se lo dijo a los otros barcos.
Y todos comprendieron
que no sirven para nada
los mundos encerrados en botellas.

Por eso, aquel día, los barcos empujaron
con la proa, con la popa,
con los mástiles afilados,
hasta que los cristales de todas las botellas
saltaron por los aires.
Y todos iniciaron su lento camino
por los desagües,
por las alcantarillas,
por los ríos, hasta llegar al mar.
Hasta llegar al puerto
que todos los constructores habían copiado
en las botellas.
Y los barcos se llenaron de alegría;
porque todo, allí, era verdad.
Las casas eran de verdad,
y el agua era de verdad,
y las redes habían pescado peces,
y las camisas marineras estaban llenas de salitre:
salitre del mar y salitre del trabajo.

Allí sabían qué era cada cosa
y qué era cada uno.
Y sabían que todos formaban un solo mundo.
Y, a partir de aquel momento,
en que sabían qué era cada uno
y para qué servía cada cosa,
pudieron comenzar una vida nueva,
sincera y libre.

EL GUARDIÁN DE LA TORRE

Había una vez un barrio
que destacaba entre todos los de la ciudad.
Las gentes celebraban
la belleza de sus calles, de sus jardines,
de los tejados puntiagudos de sus casas.
Y los vecinos estaban muy orgullosos
de aquel barrio que habían construido
con sus propias manos.

Un día, para completar su obra,
decidieron levantar una torre alta
en el centro del barrio.
Todos colaboraron en la construcción.
Todos ayudaron a llevar maderas,
ladrillos y piedras.
Y la torre se elevó muy por encima
del edificio más alto que había en la ciudad.

Cubrieron su tejado con las pizarras
que habían usado en la escuela;
sacaron brillo con los viejos guardapolvos
y, cuando las pizarras brillaron al sol,
se reunieron en la plaza
para contemplar su obra.
Y todos sonreían, porque el resultado
de su trabajo era hermoso.

Pasó el tiempo y la torre era motivo
de orgullo para todos. Desde arriba,
podían admirar su hermoso barrio.
Y, cuando se encontraban en un punto extremo
de la ciudad, podían decir:
—¿Veis aquella torre alta que brilla al sol...?
Allí está mi barrio.

Una mañana, se abrió el balcón
más alto de la torre y un extraño personaje
se asomó a la plaza.
La elevación del balcón
y el gesto de su barbilla
le hacían parecer grande, poderoso.

Todos los vecinos del barrio
se sorprendieron al verlo; pero,
después de muchas discusiones,
aceptaron que aquel hombre ocupara la torre
y viviera en ella. De esta forma, pensaban,
podría encargarse de su conservación.

Cada mañana, a partir de entonces,
el guardián de la torre se asomaba al balcón
más elevado y saludaba a los vecinos
con una profunda inclinación de cabeza.
Todos correspondían a su saludo
con el mismo gesto.
Y el extraño personaje
sonreía mirando a las gentes
que pasaban frente a la torre.
Más tarde, cambió su saludo
por un gesto leve de la mano.
Y todos, por la fuerza de la costumbre,
siguieron inclinando la cabeza.
La sonrisa del guardián de la torre
se hizo entonces más amplia.

Pronto comenzaron a contarse leyendas,
que él mismo inventaba y hacía circular,
sobre los poderes mágicos
del guardián de la torre.
Por eso, todos vivían atemorizados
y le rendían pleitesía; por eso,
pagaban tributos para su mantenimiento;
por eso, todos, en el fondo de sus almas,
lamentaron haber construido la torre.

Al cabo de algún tiempo,
la situación se hizo insostenible.
De una manera burda y ofensiva,
quiso trasladar a su persona aquello
que todos sentían hacia la torre:
como la torre dominaba todo el barrio,
él miraba a los vecinos con gesto dominante;
como la torre estaba coronada
por un tejado negro, él cubría su cabeza
con un sombrero negro en forma de pirámide;
su chaqueta roja recordaba
los ladrillos de la torre y el pantalón verde
era una clara referencia al césped
que la bordeaba.

Y, vestido así, paseaba por las calles
exigiendo el saludo de todos
y haciéndose llamar
«Señor del Barrio y de la Torre».

Esta fue la gota
que desbordó todas las paciencias.
La torre y su inquilino
se convirtieron en una molesta sombra
que era preciso destruir.
¡Y ellos sabían cómo hacerlo!
Todos se olvidaron de la torre
y de los sueños que habían puesto en ella.
Por eso, el edificio comenzó a envejecer:

las pizarras del tejado dejaron de brillar,
como si los sueños infantiles
se hubieran ahogado en un mar de fango;
el blanco de las ventanas se descascarilló,
como una nevada sucia;
los ladrillos se desmoronaron
y el césped cuidado que bordeaba la torre
se llenó de malas hierbas
que ahogaron hasta sus cimientos.

De esta forma, la torre alta
se convirtió en un montón de escombros.
Y cuando el dintel de la última puerta
se vino abajo, el guardián
traspasó aquella cortina de polvo
con su traje hecho jirones,
con la ruina que había sembrado
bordada en la piel, en toda su figura.
El destructor de los sueños
de todo el barrio se perdió a lo lejos.
Y todos los vecinos contemplaron su marcha,
como la de una nube que hubiera empañado
el sol de verano.

Aquella misma mañana
comenzó la obra de reconstrucción.
Todos se pusieron a la faena
con el mismo impulso,
con la misma ilusión
de la vez anterior;
pero ahora con más prudencia.
Y no fue una torre lo que construyeron,
sino un edificio de una sola planta.
De esta forma, ninguna persona
podría mirar desde arriba a nadie.
Un edificio de una sola planta,
lleno de ventanas,
en donde el sol entrara para todos
al mismo tiempo,
con el mismo calor.
Una sola planta, amplia,
en donde todos pudieran sentarse
para conversar, para plantear
y resolver juntos
todos los problemas
que el barrio debía resolver.

Y, cuando colocaron el tejado…,
las viejas pizarras escolares,
sin necesidad de frotar,
sin necesidad de limpiarlas,
se echaron a brillar y lucieron al sol
con más brillo que nunca.
Y, desde el punto más extremo de la ciudad,
se veía el reflejo de aquella luz;
mucho más intenso que antes,
con la alta estatura de la torre.

El espantapájaros y el bailarín

Había una vez un espantapájaros
en medio de un campo de trigo.
El espantapájaros estaba hecho
con una guitarra vieja,
con unas escobas viejas,
con paja vieja del trigal
y vestía el levitón viejo
de un viejo titiritero.
Todas estas cosas, que habían estado
llenas de vida y de movimiento,
estaban ahora quietas
en medio del campo de trigo.
Por eso, el espantapájaros tenía el gesto
triste y desvalido.

El señor Justo llegó una mañana
con el espantapájaros al hombro,
lo clavó en medio de su sembrado,
y dijo:
—Ya sabes lo que tienes que hacer…

Pero al espantapájaros
no le gustaba aquel oficio.
A él le gustaban los pájaros:
verlos volar, posarse en el sembrado,
picotear las espigas de trigo…
Por eso, no estaba contento con su trabajo;
por eso, tenía la barbilla pegada al pecho,
la mirada pegada al suelo
y la vergüenza pegada al rostro.
Sin embargo, el espantapájaros
cumplía con su obligación
y hacía todo lo posible
para espantar a los pájaros.
También por eso,
cuando se ocultaban el sol y los pájaros,
el espantapájaros tenía el gesto
triste y desvalido.

Un día, vio venir por el sendero
a un extraño personaje.
Iba con los brazos extendidos, en cruz;
daba dos saltitos, giraba velozmente
sobre la punta del pie y seguía su camino
con pasos largos y elásticos.
Parecía que no pisaba el suelo.

Al espantapájaros le gustó mucho aquello
y gritó:
—¿Qué haces?
Y el extraño personaje respondió:
—¿No lo está viendo…? Bailo.
—Y ¿quién eres tú?
—Soy Bailarín.
El espantapájaros repitió entre dientes:
—Bailarín…
Y aquella palabra sonaba en sus labios de paja
como una música maravillosa.
—¡Qué suerte tienes! ¡Sabes bailar!
—exclamó, suspirando, el espantapájaros.
Y el bailarín le contestó:
—No te preocupes, yo puedo enseñarte.
Y, durante todo el día, estuvo el bailarín baila
que te baila para que aprendiera el espantapájaros.

Cuando se hizo de noche,
el espantapájaros terminó su trabajo.
Y daba gloria ver al espantapájaros
y al bailarín bailando a la luz de la luna.

Al llegar la mañana,
el espantapájaros volvió a su trabajo
y el bailarín a su camino.
Y, cuando el bailarín iba a perderse de vista
en un recodo del sendero,
el espantapájaros le gritó:
—¡Adiós, Bailarín!
¡Gracias por enseñarme a bailar!

La vida del espantapájaros
cambió desde aquel día.
Cuando su trabajo
le resultaba más molesto, pensaba:
«Ten paciencia. En cuanto se ponga el sol,
podrás bailar hasta caerte sentado».
Pero al señor Justo, que era un amargado,
no le gustaba nada que su espantapájaros
se pasara la noche bailando; por eso le dijo:
—Desde hoy, quedan prohibidos los bailes.
Y el espantapájaros le contestó:
—Yo cumplo con mi trabajo
durante todo el día;
por la noche, el tiempo es mío
y puedo gastarlo como yo quiera.
—Que te has creído tú eso…
—Señor Justo, no sea usted injusto…
—suplicó el espantapájaros.
Aquello no le hizo gracia al señor Justo:
—Con chistecitos y todo…, ¿eh?
Y le dio una bofetada tan fuerte
que le sacó parte de la paja
que tenía debajo del sombrero.

El espantapájaros se quedó muy triste.
No quería disgustar a su amo;
pero tampoco podía
renunciar a sus derechos.
Además…
¡Bailar era superior a sus fuerzas!
Quizá tuvieran la culpa su cuerpo de guitarra
y su cabeza de escoba.
Lo cierto es que, en cuanto llegaba la noche,
le entraba un hormigueo en los pies
y se lanzaba a bailar entre las espigas.

Al cabo de unos días volvió el señor Justo;
gritaba como un loco:
—¡Cómo hay que decirte las cosas!
El espantapájaros gimió:
—No tiene derecho a prohibirme…
—¿Derecho? ¡Mira cuál es mi derecho!
Y el señor Justo le largó
una sonora bofetada.
—¿Por qué no puedo hacer lo que quiera
en mi tiempo libre…?
Pero el señor Justo no atendía a razones
y siguió dándole de bofetadas.

A cada bofetada que recibía,
el espantapájaros perdía un poco de paja,
unos trozos de madera…
Al fin, del espantapájaros solo quedó la ropa:
el levitón del viejo titiritero.

De pronto, sopló un viento fuerte…
Y el espantapájaros comenzó a elevarse
por los aires.
El levitón giraba y giraba.

Era su mejor baile. El baile de despedida.
Y, bailando bailando, se perdió de vista
por encima de la nube más alta
que había sobre el pueblo.
Y todo el pueblo,
que se había congregado al oír los gritos,
aplaudió con fuerza al espantapájaros.
Entonces, todos los pájaros
bajaron sobre el sembrado.
El señor Justo corría de un lado a otro
para espantarlos...
Pero todo fue inútil y los pájaros se comieron
todo el trigo de su campo.

Mientras tanto, el espantapájaros
bailaba feliz entre las nubes:
porque pensaba que el viento
era la música más hermosa;
porque el cielo y las nubes
eran su mejor pista de baile;
porque el día y la noche eran suyos
para hacer lo que quisiera;
porque ya nunca más tendría
el molesto oficio de espantar a nadie.

La pajarita de papel

Tato tenía seis años
y un caballo de madera.
Un día, su padre le dijo:
—¿Qué regalo quieres?
Dentro de poco es tu cumpleaños.
Tato se quedó callado. No sabía qué pedir.
Entonces, vio un pisapapeles
sobre la mesa de su padre.
Era una pajarita de plata
sobre un taco de madera.
Y sobre la madera estaba escrito:

Para los que no tienen tiempo de hacer pajaritas.

Al leer aquello, sin saber por qué,
el niño sintió pena por su padre y dijo:
—Quiero que me hagas
una pajarita de papel.
El padre sonrió:
—Bueno, te haré una pajarita de papel.

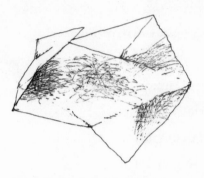

El padre de Tato empezó a hacer
una pajarita de papel; pero ya no se acordaba.
Fue a una librería y compró un libro.
Con aquel libro, aprendió a hacer
pajaritas de papel.
Al principio, le salían mal;
pero, después de unas horas,
hizo una pajarita de papel maravillosa.
—Ya he terminado, ¿te gusta?
El niño miró la pajarita de papel y dijo:
—Está muy bien hecha; pero no me gusta.
La pajarita está muy triste.

El padre fue a casa de un sabio y le dijo:
–Esta pajarita de papel está triste;
inventa algo para que esté alegre.
El sabio hizo un aparato,
se lo colocó a la pajarita debajo de las alas
y la pajarita comenzó a volar.
El padre llevó la pajarita de papel a Tato
y la pajarita voló por toda la habitación.
–¿Te gusta ahora? –le preguntó.
Y el niño dijo:
–Vuela muy bien, pero sigue triste.
Yo no quiero una pajarita triste.

El padre fue a casa de otro sabio.
El otro sabio hizo un aparato.
Y, con aquel aparato,
la pajarita podía cantar.
La pajarita de papel voló
por toda la habitación de Tato.
Y, mientras volaba,
cantaba una hermosa canción.

Tato dijo:

—Papá, la pajarita de papel está triste;
por eso canta una triste canción.

¡Quiero que mi pajarita sea feliz!

El padre fue a casa de un pintor muy famoso.
Y el pintor muy famoso pintó hermosos colores
en las alas, en la cola y en la cabeza
de la pajarita de papel.
El niño miró la pajarita de papel
pintada de hermosos colores.

—Papá, la pajarita de papel sigue estando triste.

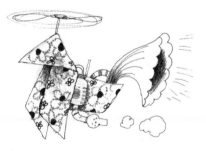

El padre de Tato hizo un largo viaje.
Fue a casa del sabio más sabio de todos
los sabios.

Y el sabio más sabio de todos los sabios,
después de examinar a la pajarita, le dijo:
—Esta pajarita de papel no necesita volar,
no necesita cantar,
no necesita hermosos colores para ser feliz.
Y el padre de Tato le preguntó:
—Entonces, ¿por qué está triste?
Y el sabio más sabio de todos los sabios
le contestó:
—Cuando una pajarita de papel está sola,
es una pajarita de papel triste.

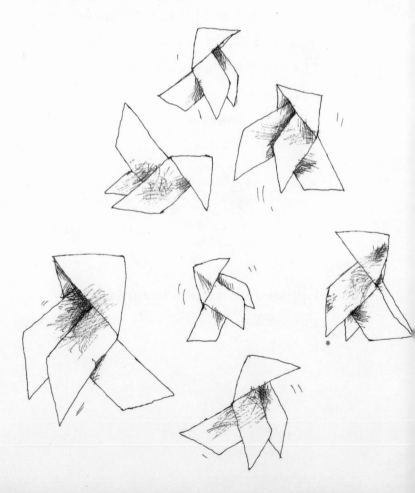

El padre regresó a casa.
Fue al cuarto de Tato y le dijo:
—Ya sé lo que necesita nuestra pajarita
para ser feliz. Y se puso a hacer muchas,
muchas, pajaritas de papel.
Y, cuando la habitación estuvo llena de pajaritas,
Tato gritó:
—¡Mira, papá! Nuestra pajarita de papel
ya es muy feliz. Es el mejor regalo
que me has hecho en toda mi vida.
Entonces, todas las pajaritas de papel,
sin necesidad de ningún aparato,
volaron y volaron por toda la habitación.

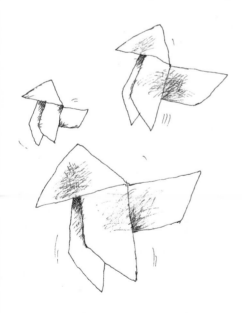

Colección SIETELEGUAS

© del texto: Fernando Alonso, 1978
© de las ilustraciones: Ulises Wensell, 1978
© de esta edición: Kalandraka Editora, 2014
Rúa de Pastor Díaz, n.º 1, 4.º A - 36001 Pontevedra
Telf.: 986 860 276
editora@kalandraka.com
www.kalandraka.com

Impreso en Gráficas Anduriña, Pontevedra
Primera edición: septiembre, 2014
ISBN: 978-84-8464-839-0
DL: PO 426-2014
Reservados todos los derechos